KB171825

하얀 일상 검은 휴가

하얀 일상 검은 휴가

발 행 | 2023년 12월 28일
저 자 | 김학민
펴낸이 | 한건희
펴낸곳 | 주식회사 부크크
출판사등록 | 2014.07.15.(제2014-16호)
주 소 | 서울특별시 금천구 가산디지털1로 119 SK트윈타워 A동 305호
전 화 | 1670-8316
이메일 | info@bookk.co.kr

ISBN | 979-11-410-6267-5

www.bookk.co.kr

하얀 일상 검은 휴가

김학민 시집

차례

2부 검은 휴가

작가의 말

시를 쓰고 뻔뻔해지다

시를 쓸 때는 몰랐다. 내 감정이 어떤 빛깔을 띠는지.
시를 엮을 때야 알았다. 내 감정이 다채롭게 빛난다는 것을.
감정은 어떤 날엔 희망을 노래했고, 어떤 날엔 절망을 불러
들였다. 주저앉았다 일어서고, 뛰다 걷고, 울다 웃었다. 엎치
락뒤치락, 시시때때로 표정을 달리하며 감정은 나와 함께 시
간을 보냈다.
《하얀 일상 검은 휴가》에 담긴 시는 그 감정과 보낸 시간의
기록이다. 기억의 발자국이다.
이 기록과 발자국이 다른 이에게 어떻게 다가갈지 자못 걱정
이다. 생채기를 새길까 미소를 그릴까. 걱정 속에서 조심스레
바람을 품어본다. 일상에 조금이나마 힘을 줄 수 있다면, 아
주 짧은 휴가로 남을 수 있다면…….

기쁨만으로 가득 찬 일상을 보내는 사람은 아마도 없을 것이
다. 일상은 웃음과 눈물로 속절없이 앞을 향해 굴러간다는

것을 누구나 다 알고 있다. 우리들 대부분은, 어쩌면 모두는 끝없는 직선과 같은 일상에 몸과 마음을 걸친 채 하나의 점과 같은 휴가를 꿈꾸며 살고 있다. 다만 그 휴가가 언제나 생기를 불어넣어 주지는 않는다.

아무리 걱정을 해도 답이 안 나온다. 걱정이 가라앉지도 않는다. 그래서 뻔뻔한 낯으로 이 시집을 내민다. 시를 읽는 시간이 즐거운 휴가가 되기를 바라며.

시를 쓴 김학민

1부 하얀 일상

숨은그림찾기 속 숨은 그림

일요일 오후 공원에 나가
유모차를 몰고 다니며 담배를 핀다
어항 벽을 뛰어넘은 열대어, 터진
포도송이 따위로 나를 읽어버리는 시선들.
시들어버린다, 오래오래 몸속에서 꽃대를
밀어 올리던 종이꽃, 외눈박이 고양이의 눈동자 속으로
때로 절름발이 소년의 푸른 숨결 사이로 스며들던
그 향기도……

햇살은 젖은 생리대처럼 질퍽거리고
잔디밭 한가운데 빨갛게 드러난 맨땅 위에
나는 담배꽁초를 던진다
혼자 노는 아이같이 던진다

보도블록 아이의 꿈같은 나날

깊은 밤 몰래 집을 나서곤 해요

놀이터에서 신나게 그네를 타려고요

빗줄기 같은 회초리의 기억, 햇살처럼 환한 배고픔,
한겨울 찬물의 으스스함을 잊고

맘껏 울어보고 싶어요, 그네를 뜀틀 삼아 작은 먼지
로 사라지고 싶어요

모르죠? 내 눈물엔 거짓말 사랑이 어려 있다는 걸.

하지만 놀이터는커녕, 여태 집 앞 골목도 벗어나지
못했죠

그림자를 추켜들고 보도블록을 걷다 보면 어느새 길
을 잃어요

언젠가 딱 한 번

운동장처럼 탁 트인 아스팔트를 만난 적 있었지만
발을 들여놓기도 전에 길이 나를 지나가 버렸어요
그때 심야 키즈카페에 간다며 손을 흔들던
친구네 자동차가 별빛 속으로 사라진 것도 같은
데……
돌아오는 길에 보도블록 하나가 깨져나가더군요
틈새에 발목이 끼어 부러졌지만
엄마 아빠가 깰까 봐 그냥 두고 왔죠

오늘밤에도 놀이터에 갈 거예요
도둑고양이들은 나를 보면
"보도블록 아이 놀이터 간다!"
실컷 키들거리겠죠

사실 나는 머리만 남아 있거든요

나머지는 죄다 보도블록이 됐어요, 아무도 부서진 블록을 갈아 끼우지 않아서……

집 앞에 놀이터가 생기면 좋겠어요

올이 굵은 내 머리카락은 누군가의 발목을 옭아맬 수도 있거든요

취업준비생의 일상

고양이 한 마리 가슴속으로,
온도 조절 기능이 고장 난 냉장고 속으로
기어들어온다, 야윈 몸 웅크리면서
가난한 입김을 뱉는다

야아야옹, 굶주린 울음소리에
핸드폰 벨소리를 먹이로 던져준다
더듬거리며 사랑을 찾는 꼬리짓은
담배연기로 하얗게 지운다

밤공기는 식은 커피처럼 밋밋하고
별빛은 숨 가쁜 쪽잠마냥 가물거린다

기이한 신음소리가 냉장고에서 새어나온다

온순한 곰

스마트폰 알람 소리에 눈을 뜨니
직장 생활 3년째예요
하품을 하니 사무실 냄새, 일어나 기지개를 켜니 타다닥
키보드 소리가 나요

창가를 떠도는 새벽 공기는 오래된 식빵 같아요
신문배달 소년이 바쁜 인사를 던지고, 한 박자 늦은
내 미소엔 바코드가 찍혀요

냉장고 구석의 우유, 조그만 종이 상자 속
그 보드라운 희망을 서둘러 마시다 아야,
어린아이 소리를 내요
나는 유통기한 날짜보다 이틀이나 더 빨리 살았어요

아냐아냐, 이제는 그 옛날 열한 살 짝꿍을 기억하며
밤새워 연애편지를 쓸 테야
햇살 피해 달아나는 어린 별들을
내 몸 구석구석 숨겨주고, 길바닥에서 울먹이는 흙탕
물과 까악까악 손장난도 칠 테야

그러나 나는 어느새 입술을 여민 채 커튼을 쳐요
능숙한 솜씨로 팬티를 갈아입고
새로 산 스타킹의 비닐포장을 뜯어요
온몸이 이력서로 멍든 친구 얼굴을 떠올리며

피노키오의 교실

　무심코 수학 교과서를 넘기자 동굴이 펼쳐졌어 덥석, 짝꿍 손을 잡고 동그란 입구로 이끌었는데, 장난감 손만 따라왔어 선생님, 동굴이에요 소리쳤지만 교실 안은 죽음처럼 고요했어 갑작스레 칠판이 사위를 가로막더니 빼곡한 계산식들이 안개로 피어올랐어 쑥쑥, 바오밥나무가 교실바닥을 뚫고 나오기까지…… 신기루인가 팔뚝을 꼬집었더니 어디선가 "꿈을 키워라" 낭랑한 목소리가 울려퍼졌어 그 소리에 나도 모르게 교복 치마 주름을 펴고 앞머리를 귓가로 쓸어넘겼지 어머나, 코가 길어졌네? 그런데 어쩐지 기분이 좋더라 긴 코의 내 얼굴 보기 좋아서

해를 삼킨 어머니

유리창에 매달려 울먹이는 빗방울,
집 안에 물기 한 점, 그늘 한 조각 용서하지 않았던
한 못생긴 여자가 떠오른다
웃음으로 화장하고 콧노래로 단장하고
갈빗대로 철길 놓아 반짝이는 들판으로
가족들을 내몰던 독종
동이 트는 쪽으로 무럭무럭 늙어가다
쿨럭, 햇덩이마저 삼켜버린
서러운 광대

멜로디언

―멜로디언(Melodian). 코미디언(comedian)의 반대말. 남을 울
리는 직업에 종사하는 사람. 그러나 눈물을 자아내게 하는 경
우는 극히 드물다.

어떤 사람이 고물 그득한 수레를 끌며
눈 속을 걸어간다
어떤 힘이 그를
앞만 보고 나아가게 한다

말씀으로 빚어진 눈사람.
솜사탕처럼 따사로운 눈송이도
그의 굽은 어깨에 서늘한 운명을 쌓는다

한때 지붕을 녹이는 빛줄기도

툭툭 부러뜨렸던 손아귀엔

주름이 번졌다

펑펑 맥주병 따는 소리에

한 주먹 희망을 담았던 눈동자는

바람에 뒹구는 아이스바 껍질을 따라 널브러진다

이따금 새어나오는 신음에서는

오래된 눈물 냄새가 난다

재갈재갈 한 무리의 아이들이 눈덩이를 베어먹는다

연인들은 함부로 달콤한 웃음을 눈밭에 뿌린다

언젠가 깨어지고 말 눈사람,

눕는 법조차 잊어버린 앙상한 눈뭉치,

전봇대에 기댄다

오줌을 지리던 떠돌이 개가 사납게 짖는다

-아버지아버지

투병일지

출근길 플랫폼에 발 디딜 때마다
뒤돌아보는 버릇, 열차가 숨 가쁘게 달려온 어둠을
멍, 바라보는 고질병이 생겼다
자전거바퀴처럼 탱탱하던 어린 시절 미소들
행여 뒤따라오지 않을까
기적 소리가 일으켜 세운 희미한 그림자들
촛불 켜고 시간 속을 걸어오지나 않을까

모르겠다, 지하철이 나를
오늘에서 오늘로만 데려다주는 까닭
그리고 오늘 새로운 병을 얻었다
한 걸음에 역사 계단을 두 칸씩 뛰어오르는.

가슴속을 가로지르다, 달빛

잠결, 이상은의 노래 「둥글게」를 듣다가
"작은 빗방울이 세상을 푸르게 하듯이"라는 구절에서
펄럭, 이불 걷어차 버린다
이 파릇한 살결과 모난 골격이
창틈 스며드는 달빛 아래
죄인처럼 드러난다
지금껏 시선을 늘 아래로만
두고 살았다는 사실에
얼굴 소란스레 붉어진다
조용히 거울 앞에

선다
빗방울 모양 몸 웅크리고서

빨간 구두

쇼윈도 빨간 구두에 눈을 맞춘다
플래카드에 숨어 있던 검은 새 한 마리
먼지 물고 옷깃 속을 파고든다
눈부신 빛깔 탓에 깜박 잊었다
길을 걸을 땐
가슴속 둥지를 비우며 가야 한다는 사실.

오래된 노래를 불러본다
모든 길의 끝에, 속눈썹 모양 갈랫길들이 모이는 곳에
잿빛 강물이 기다려
빨간 구두는 그 물살 훌쩍 뛰어넘을
날개 달아주지 않아

새싹 움트는 소리에, 갓난아기 울음소리에 바스러지
고 마는
　발자국만 무수히 새길 뿐이지.

　검은 새는 어느새 갈빗대에 내려앉아 깃을 내렸다

　횡단보도를 향해 몸을 돌린다
　길은 넓고
　햇살은 숨 가쁘다

<무지개 물고기>[1]를 읽고

비늘을 나누어 친구를 얻고
아름다움을 잃었다는 무지개 물고기가
오래된 사진처럼 떠오른다

왜 바닷속 회색의 물고기들은
무지개 물고기의 보석 같은, 살점 같은
반짝이는 비늘을 탐했을까
그저 탐스러운 몸뚱이에 박수 치며
우정을 주고받을 순 없었을까

빼앗기듯이 나누는 일도 더불어 사는
세상의 법칙이라면
우리는 이미 순한 양이다

---

1) 마르쿠스 피스터가 지은 그림책

그래도 옷자락에 남는 기름얼룩처럼
비릿한 서글픔을 지울 수 없다
내게는 무지개 물고기가 가진
빛나는 껍데기도 없으니까

침몰

빗줄기는 지난 시절을 불러오지만
빗소리는 앞으로 가라 채찍질한다

들숨과 날숨 사이에 눈물이 스민다
눈물의 의미를 헤아리려 하늘을 우러러본다
물방울이 이마와 눈동자와 뺨을 때리며
침묵이란 두 글자를 새긴다

어린아이가 물웅덩이를 박차며 달려나가고
강아지 한 마리 철부지처럼 뒤를 쫓는다
물 위에 행복의 발자국이 남는다

부러움에 한숨이 터진다
다리까지 굳어버린 듯
이제 허수아비로 살아가야 하는지……

어떤 맑은 날

창 안으로 밀려온 햇살 밥그릇에 담아
김치와 함께 아침을 먹는다
라디오 노랫소리는 빛다른 반찬이다
이슬 맞은 꽃잎이 저녁노을에 떨어지더라도
똑바로 서서 하늘을 바라볼 수 있을 듯하다
오늘만큼은

둥글게 달이 뜬다면 오븐에 구워
버터를 발라 먹어야겠다
오늘밤에는

여름 슬픔

해가 다가온다
가까이 가까이 웃음꽃 흐드러진 마을이 그리워서

멀리 멀리 찡그린 얼굴들이 달아난다
초록빛 어린 이파리만 온몸으로 뜨거움을 품는다

외로운 이족보행 짐승이 나무 아래로 몸을 숨긴 채
땀방울을 식힌다
사이렌이 울린다

가을에 꾸는 꿈

보도블록을 덮은 낙엽을 밟는다
바스락, 가냘프고 또렷한 소리에 지난여름이 떠오른다
햇덩이처럼 쉼 없이 타오르고 장맛비처럼 숨 가쁘게
내달렸던
시간이 한 그루 굴참나무로 불쑥 솟아오른다
마음껏 부서질 수 있는 길거리 나뭇잎에
울긋불긋한 서러움이 밀려온다

봄은 아직 아득하지만
언제나 봄으로 살아내야 하는 일상이
가을바람을 가슴에 불러온다
잠깐 창창한 하늘을 바라보며 무지개를 꿈꿀 때
붉은 오토바이 한 대 폭발하듯 곁을 지나친다

어떤 하루

달 속에 해가 뜬다
좁고 추운 방
추억들은 이불 속을 뒹굴며 몸을 섞는데,
벽걸이 시계는 몰래 날개를 펼친다

낙엽 지는 날

낙엽 쓰는 청소부의 비질에
발가벗고 뛰놀던 어린 시절이 떠오른다
쓰윽싹쓰윽싹, 고단하지만 경쾌한 소리에
어른으로 살아가며 쌓아 왔던 더께가
눈송이마냥 녹아내린다

커다란 쓰레기봉투에 담기는 잎사귀들의 몸짓에
인생을 입맛대로 요리하고자 몸부림치던
건방지고 깜찍했던 학창시절이 꿈틀거린다

지금은 낙엽처럼 납작 엎드렸지만
언젠가 낙엽처럼 일상을 붙들어 맨 나뭇가지를
박차고 아름답게 날아오르겠지

가을바람처럼 걸음이 빨라진다

겨울바람의 비밀

겨울바람에는 한숨이 서려 있다
그 뜨거운 가슴바람의 주인을
우리는 모두 알고 있다
봄여름가을겨울 쉼 없이 둘레를 떠돌던 열기를
우리는 모두 외면했다
봄바람을 노래하면서,
그 어설픈 선율을 옆사람에게 들려주면서,
따라 부르라 강요하면서

바람의 길목에서

바람이 스쳐간다

바람의 속삭임을 또 듣지 못했다
아무리 귀 기울여도
도어락 버튼 소리를 닮은 도시의 우울만
번번이 들린다

누군가는 바람에게서 꽃 피는 소리를, 참새의 웃음소
리를,
물고기의 노랫소리를 들었다던데,
그것은 그저 부풀려진 소문일까, 사라진 섬나라의 전
설일까,
상위 1퍼센트의 넘을 수 없는 비밀일까

아스라이 멀어지는 바람의 뒷모습을 바라보며
오늘도 눈물을 삼킨다

내일도 벼랑에 서 있을 외로운 눈사람을 그리며
무릎에 힘을 준다

버스 손잡이를 붙잡고

흔들리면서, 흔들리는 사람을 잡아준다
몸보다 크게 뚫어 비운 구멍으로
욕심 가득 찬 살덩이를 지지한다
해가 뜨나 달이 뜨나 버스에 끌려다니면서,
목줄에 매여 붙박이로 지내면서
묵묵히 도움을 실천한다

두 다리로 걷는다는 것이,
외골수의 삶을 지키려 악착같이 손에
힘주고 있는 것이 부끄럽다

반송 우편

  내 피를 빨아먹은 모기를 잡아 '오늘이'라 이름 짓고
  눈알, 다리, 날개를 뽑아 퀵서비스로 보내버렸다,
  늘푸른 빵집으로 해뜨는 미용실과 은하수 레코드점
으로
  다음 날 아침, 눈뜨자마자 오늘이의 조각들이 되돌아
왔다
  반송 사유
  수취인불명.

뉘우침의 순간

바지 단추가 안 채워진다
옷이 줄었다, 아니
내가 늘었다
별이 떨어질 때쯤 남탓도 사라지려나

위로받는 날

아스팔트 고인 물에 까치 한 마리 목을 축인다
살아간다는 것은 아래를 향해 고개를 숙이는 것,
우주의 한 점보다 작은 물웅덩이도 생명을 품고 있
다는 것,
단단한 도로에도 따스함이 스며 있다는 것,
배운다
배움을 가슴에 새기는 찰나
한 무리 비둘기가 까치와 어우러진다
달걀 모양 타원을 지은 녀석들이
삶은 달걀 껍질을 까듯 빗물을 쪼아댄다
삶의 속살이 드러나는 순간에 눈이 부시다
어린 빗방울이 굽은 어깨를 다독인다

재기의 순간

보도블록 깨진 틈새로 땀내음이 피어오른다
이 길을 닦으며 울고 웃었을
질박한 인부의 세월이 아지랑이로 떠오른다

여전히 그는 이름도 얼굴도 모르는 타인을 새기며
반듯한 길을 짓고 있을까
고된 노동에 몸이 삭아
투박한 골목길 같은 침대에
새우잠 자듯 누워 있을까
어쩌면 낯선 길, 혹은 몸 바쳐 이룬 길에서 몸소 길
이 되었을지도……

고개 숙인 채 다시 발걸음 옮긴다

길의 향기가 게을렀던 나날을 부르고
발밑을 감도는 돌의 기운이
스러지던 삶을 불끈 풀무질한다

2부 검은 휴가

고양이버스를 기다리며

<이웃집 토토로>의 고양이버스를 한 대
갖고 싶다면 욕심일까?

딱 하루만이라도 크리스마스 선물처럼 주어진다면……

부를 때 다가오고 가고 싶은 데 데려다준 사람이
내겐 있었을까?
나는 누군가에게 단 한 번이라도
심부름센터와도 같은 존재였을까?

시내버스가 우람한 덩치를 뽐내며 달려오고
빗줄기가 정류장 바닥을 무심하게 때린다
길고양이 한 마리 아스팔트 웅덩이의 검은 물을
옹달샘처럼 마신다
버스를 놓치지 않으려는 사람들이
한낮의 소나기로 몰려온다

가을 기쁨

사직서를 던진 날 가로수 잎사귀가 떨어진다
콘크리트 덮인 새로운 하늘로 날아간다
이제 뒹굴고 차이고 밟히더라도
생애 단 한 번뿐인 비행의 추억은 화석으로 남을 것
이다
모르는 버스가 정류장으로 달려간다
넥타이를 풀고 버스를 뒤쫓는다
이제 이륙할 시간이기에

이상한 자동차

밤이 깊도록 잔별들 물놀이 즐기며 재잘거린다
모래톱에 빵 한 덩이
길 잃은 거북마냥 웅크리고 앉아 있다
소풍 나온 바구니 밖으로 튕겨 나온 걸까
어느 살진 짐승이 물가를 떠나며 팽개친 걸까
상처투성이다, 식어버린 하얀 살결은 먼지투성이다

빵 속엔 단란한 가족이 모여 있는지
실바람 가볍게 몸 흔들 때마다
풀기 없는 침묵이 새어 나온다
물 위로 내리는 나뭇잎 소리보다
더 고요한 울먹임이다

반짝, 함초롬한 웃음 한 방울 떨구고

먼 곳으로 어린 별 도망쳐 갈 때

빵 속에 환하게 불꽃이 핀다

빵을 빚던 시간과

달처럼 부풀어오르던 기억의 고속도로를 이글이글
달리기 시작한다

아, 그러나 누가 가로막은 것도 아닌데,

빵은 한줌 재로 멈춰 서고

하늘로 오르던 연기는 산허리에 걸린다

내일만 바라보던 아빠의 노랫소리가

밝았던 어젯밤을 칭얼대는 아이 소리가

물에 실려 어디론가 떠내려간다

파랑새 한 마리 우듬지에서 날아오른다

불의 시작
—그날, 불이 어두운 지하철도를 달렸다.

열차 안으로 새 한 마리가 날아들었다
늙은 광대처럼 파닥거리며 기름먹인 불씨를 뱉었다
졸던 아이가 고개를 떨굴 때 불은
젊은 엄마의 종아리를 타고 올랐고
어둠은 그때를 틈타 출구를 폐쇄했다
목소리들이 철문을 두드리다 타들어 갔다
사랑해, 불타는 입술을 빠져나온 한마디는
송화기를 타고 나가다 녹아 내렸다
검은 연기가
가물거리는 눈동자들을 삼켜버렸다

새는 광장으로 날아갔다, 가서
"평생 불을 먹고 살았다, 토해낼 수밖에 없었다"
울부짖으며 바람 속을 뒹굴었다

그러나 장기를 두던 노인들도
서로의 입속에서 혀를 굴리던 연인들도
알지 못했다
불은 어디서 오는가를, 왜 그 뜨거운 씨앗은
체온이 있는 것들의 가슴속에
둥지를 트는가를

새가 날개를 접은 뒤에도
울음은 열대야처럼 광장을 울렸지만
노인들은 귀를 막고 장군 멍군을 외쳤다,
연인들은 나비처럼 꽃밭으로 달려갔다
그 밤,
달은 철없는 아이의 눈 속에 떴다

난파선을 바라보며

사람이 비뚤어진 세상에서는
나뭇잎도 물밑으로 가라앉는구나
햇빛, 바람, 물과 흙, 땀, 눈물, 희망과 열정,
그리고 사랑으로 빚어낸 저 나뭇잎,
그 반짝이는 생명이 차가운 어둠으로 꺼지는구나

높은 곳에 사는 사람들이
나뭇잎이 떨어진 가지에 쇠못을 박는다
사라진 나뭇잎에 미련을 두는 일은
뿌리에 대한 범죄라고 하늘에 새긴다
높은 곳으로 달려가는 사람들은
시간은 앞으로 굴러가게 두는 것이 정답이라 부르짖
는다

나그네는 그저 빵 한 조각에 고개를 끄덕이는구나
아이야, 주먹보다 작은 돌은 차라리 우리 집 유리창
에 던지려무나

절뚝거리는 아버지의 눈물이 신문지 속으로 스며들고
어머니의 마녀 같은 몸부림은 텔레비전에 갇힌다
소풍 떠난 파랑새들이 울먹이며 꽃밭으로 내려앉을 때
화려한 철갑 지붕이 이카루스처럼 날아오른다

죽은 자의 부탁

마침 그날 핼러윈이어서
유령 같은 젊음이 외롭고 힘겨워서
축제가 우리 삶과는 너무 멀리 있어서
단 한 번만이라도 환희와 웃음 속에서 빛나고 싶어서
국가와 민족을 우선하기에는 아직 철이 없어서
비록 철부지라도 그저 숨 쉬고 싶어서

그래서 우르르 모였더라도 부디
손가락질하지 마세요
아련한 눈길을 보내주세요
우린 죽었으니까

어린 꽃의 노래

나는 꽃입니다
하늘이 아니라 땅속으로 자라는 꽃입니다
엄마가 짓밟고 아빠가 꺾어버린 나는
사실 꽃이 아닙니다
꽃을 채 피우기도 전에
씨앗이 눈물로 떨어졌기 때문입니다
흙에 스며든 눈물은 사람들 발밑에서 넘실대는
바다를 이루었습니다
꽃잎을 열지 못한 꽃들이 맘껏 헤엄치는
물놀이장이 되었습니다
해가 들지 않아 어둡고 조금 춥지만
우리는 행복합니다

여로

바람을 따라 새벽을 걷는다
바람이 머무는 곳에 닿으면
쉴 수 있는지 알고 싶어서

풀잎들이 밟히고
숨죽인 비명이 아지랑이로 피어오른다
걸음은 아픔을 얻을 수도, 건넬 수도 있다는 진실,
아름다운 아침 햇살로 두 눈을 찌른다

눈을 비비고 걷는다
어느새 따라 붙은 검은 가면의 두려움이
송곳처럼 잔등을 찔러대기에

놀이터에서

그네를 타기가 두려워진다
앉을깨에 올라 힘차게 발을 구를 때
아늑한 바람의 둥지로 가지 못할까 봐
행여 길을 잃고 으스스한
햇빛의 무덤으로 날아갈까 봐

미끄럼틀에 올라서면 허수아비가 된다
미끄럼대에 작은 몸 실으면
버려진 생선가시처럼 외로워질까 봐
초라하고 우스꽝스레 굴러떨어져
개똥처럼 꾹 짓밟힐까 봐

한 무리 아이들이 놀이터에 달려들고
구름 새로 얼굴 내민 햇덩이가
갓난아기의 미소를 짓는다
낡은 시소 옆에서 나 혼자 눈사람이 된다

휴가 계획 1

푸켓으로 가야지 일곱 빛깔 돌고래, 깊은 밤 날갯짓
하며 수평선을 넘어갔다는 그 오래된 동화(童話)를 찾
아가야지 물마루 위에, 소곤소곤 부서지는 하얀 물꽃에
떨궜을지 모를 깃털 조각을 건져와야지 모래톱 갈피에
꼭꼭 숨겨져 있을 고래발자국에 손도장이라도 찍고 와
야지 가슴속의 연꽃, 눈물 향기 그윽한 내 붉은 속살을
파도에 심어놓아야지 뒤따라, 혹은 먼 훗날 그곳을 찾
을 발걸음들을 위해, 꿈들을 위해

휴가 계획 2

창밖 보름달에 휴가 계획을 적는다

-1일차

보고서만 쓰던 손이 굳으며 시작부터 막힌다
떠나는 날 입으려던 원피스를 하늘에 그리다
진회색 작업복을 덧칠한다

카톡카톡, 단톡방에
내일 아침 업무 지시가 떨어진다
둥근 달이 먹빛으로 물들고
밤벌레들이 피로한 비명을 질러댄다

-2일차

세 글자 더 적고
가슴속 노트를 덮는다

휴가 계획 3

이번에 바다에 가면
한가운데 파도가 잠자는 곳에
나무 한 그루 심고 돌아오려고

다음에 내가 못 오더라도,
어쩌면 영영 발걸음 다시 찾지 못하더라도
벙어리 어린 물고기들이 아늑한 나무 그늘 아래
여행자처럼 쉴 수 있도록
고기잡이에 허탕친 어부들이 소담한 열매라도 따먹
으며
그물처럼 빽빽한 삶을 어루만질 수 있도록
물놀이를 즐기던 어린아이가 "바다나무다!" 소리치며
드넓은 세상을 꿈꿀 수 있도록

그런데 내가 떠날 수 있을까 모르겠어
무뎌진 듯 날카로운 일상이
어제도 내 발가락 하나를 잘라갔거든

휴가 계획 4

이번 휴가는 골목으로 떠난다
길에 떨어졌다 수없이 밟혀 길이 돼버린
껌딱지를 밟으며
내일을 풍선껌처럼 부풀릴 예정이다

여행 도중 길을 잃어도 행복할 것이다
막다른 돌담에 가로막혀도 웃으며 돌아설 것이다

보도블록 사이에서 햇빛을 건져내고
터진 쓰레기봉투가 토해내는 냄새에서 달내음을 맡고
삐걱삐걱 고물자전거 소리에서 별의 노래를 듣고
한 사흘쯤, 아니 나흘쯤, 어쩌면 영원히
머물지도 모르겠다

사람들에게, 미친개에게, 도둑고양이에게 밟혀
골목의 속살이 될지도 모르겠다

첫눈을 맞으며

하늘하늘 첫눈에 어제를 되새긴다
나뭇가지에 내려앉은 눈꽃에 내일을 그린다
꽃 한 송이 피우지 못한 오늘이
찬바람으로 가슴을 파고든다
옷깃을 여미려다 멈칫,
하늘을 우러른다

이제 그만 장바구니에서 떨어진
조그만 복숭아로 살아가도 좋을까
아무도 줍지 않는
몽당연필로 지내도 괜찮을까

이대로 눈사람이 되어도 행복하겠단 생각에
웃으며 눈송이를 받아먹는다

눈과 그리움

눈이 내릴 때 그리움은 쌓이고
눈이 녹을 때 그리움은 꽃피운다

거울

길에서 아이와 마주치면 뒤를 돌아보게 된다
잘못을 흘리고 걸어온 건 아닐까 싶어

아이가 스쳐 지나가면 앞을 내다보게 된다
아이처럼 살아갈 수 있을까 싶어

이족보행 하루살이의 도시

점점이 불이 켜진다
구름을 뚫어 신문 1면을 장식한 빌딩 꼭대기에서
새들의 낙원을 과녁 삼아 빛의 화살을 쏘아댄다
보름달이 등을 돌리고 뭇별들이 눈을 감는다

거리마다 하루살이가 우글거린다
밤하늘 가르는 날카로운 빛줄기를 우러르며
넋 잃은 연인처럼 걷고, 뛰고, 뒹군다
날개 없는 해충인 줄 모른 채
입술과 입술을 부딪치며 춤춘다

섹스처럼 짧은 축제의 시간,
기러기들이 가슴에 피 흘리며 불청객으로 추락한다
죽은 몸은 달아오른 하루살이 떼에게 밟히고 밟혀
아스팔트빛 얼룩이 된다, 탄탄한 길이 된다
뚝딱뚝딱,
변두리에서 넘어온 야간 공사 망치 소리가 진혼곡으로

퍼질 때
LED 간판 불빛이 차가운 작별인사를 건넨다
한 오라기 바람이 이웃 도시로 지루한 이야기를 실
어 나른다

태풍이 불어온 날

바다가 뜨거워지자 태풍이 눈을 뜬다
날짐승은 날개를 접고 길짐승은 길에 엎드린다
나무꾼은 골방에 숨어 도끼날을 갈며
부서뜨린 뻐꾸기 둥지와 꿀벌의 보금자리를 헤아린다
공장에 자물쇠를 채운 기계공은
남쪽 얼음산맥의 허리를 관통할 꿈을 꾸며
톱니바퀴와 체인에 기름칠한다
썩은 강을 물고기의 놀이터로 바꾸겠다던 기업가는
빌딩 주위 인공지능 차수벽을 세우고 강변의 러브호
텔을 기획한다
통장 잔고에 웃음 짓던 과학자는
연구소 창문에 강력 테이프를 붙이고
거짓 보고서를 작성한다
살기 좋은 세상을 약속했던 정치인은
밀실에 틀어박혀 하늘과 땅과 사람을
폭탄주처럼 술잔에 욱여넣는다
언덕에서 바람개비를 돌리던 아이만이
해바라기 미소로 성난 바람을 맞이한다

하늘 별사탕

아가, 누가 야금야금 빼먹었는지
하늘 별사탕이 몇 개 없구나
내일은 또 얼마나 남아
희망으로 반짝일지 모르겠구나

꿈처럼 달콤한 하늘 별사탕,
자꾸만 자꾸만 쓴맛이 난다는데,
먼 곳에서 먼지로 내려앉은 그 소문
언제쯤 새가 되어 날아갈지 모르겠구나

고래 나그네

고래 나그네가 바다를 걸어나온다
지느러미 기형화한 어긋난 두 다리로
원전 오염수를 흘려 버린 섬나라를 향해
비틀비틀 괴이한 발자국을 남기며 나아간다

'우리는 친구입니다'

가슴속에 소금으로 반짝이는 전언을 품고.

모래톱에서 두꺼비집 짓던 아이가
덩치 큰 바다 친구의 잔등을 향해
울먹이며 종이비행기를 날린다
앙상한 갈매기 떼가
숙명을 이고 가는 생명체의 머리 위를 기웃기웃 맴
돈다

넋두리

들숨과 날숨 사이에 아픔이 스민다
아픔은 종소리로 울리고
세상은 귀를 닫는다

소리샘

「연결이 되지 않아 삐 소리 후 소리샘으로 연결되오
며……」

삐 소리에 핸드폰 진동처럼 가슴이 울린다
소리샘에는 어떤 소리들이 모여 있을까
울음과 비명만 샘솟는 것은 아닐까
소리를 전하고 싶은 이에게 무사히 흘러는 가는 걸까
소리샘은 그저 환상이나 신기루가 아닐까

스팸전화로 침투한 의문에 허우적대다
병신처럼 한마디 뱉는다
-사랑해

라면 봉지를 뜯다가

모서리에 새겨진 작은 톱니로
라면 봉지를 뜯는다
새끼손가락에도 베이는 두부처럼
술술 갈라지자
두려워진다, 손톱 조각만 한 틈으로 스며든 허술한
힘이
차곡차곡 다져온 오늘을 한순간에 무너뜨릴까 봐

골방 바람벽에 번지는 사춤이 문득
눈에 들어온다
위태로운 몸으로 균열을 버티며
나를 지켜주고 있었다는 사실에
고개를 숙이고 내일을 기도한다

사랑 찾기

눈이 흐려지니 앞이 보인다
눈이 멀면 사랑이 보이려나
받은 것은 사랑인데,
준 것은 무엇일까

꽃샘추위에

봄과 겨울이 바람을 나눈다
가슴속 눈물진 한숨이 바람으로 날아갈 수 있다면,
어린 꽃 하늘 향해 몸부림칠 때
작은 도움 줄 수 있다면

설거지

세찬 물줄기에 밥그릇 닦는다
세월 흐르는 소리가 들리고
마음 켜켜한 먼지가 날린다